Lili

Noemi Jaffe

Lili
novela de um luto

3ª reimpressão

COMPANHIA DAS LETRAS

Copyright © 2021 by Noemi Jaffe

Grafia atualizada segundo o Acordo Ortográfico da Língua Portuguesa de 1990, que entrou em vigor no Brasil em 2009.

Capa Julia Masagão
Imagem de capa Laura Gorski
Projeto gráfico Cláudia Espínola de Carvalho
Preparação Ciça Caropreso
Revisão Ana Luiza Couto e Nina Rizzo

Os personagens e as situações desta obra são reais apenas no universo da ficção; não se referem a pessoas e fatos concretos, e não emitem opinião sobre eles.

Dados Internacionais de Catalogação na Publicação (CIP)
(Câmara Brasileira do Livro, SP, Brasil)

> Jaffe, Noemi
>   Lili : Novela de um luto / Noemi Jaffe. — 1ª ed. — São Paulo : Companhia das Letras, 2021.
>
>   ISBN 978-65-5921-053-4
>
>   1. Ficção brasileira I. Título.

21-59097   CDD-B869.3

Índice para catálogo sistemático:
1. Ficção : Literatura brasileira   B869.3

Cibele Maria Dias – Bibliotecária – CRB-8/9427

Todos os direitos desta edição reservados à
EDITORA SCHWARCZ S.A.
Rua Bandeira Paulista, 702, cj. 32
04532-002 — São Paulo — SP
Telefone: (11) 3707-3500
www.companhiadasletras.com.br
www.blogdacompanhia.com.br
facebook.com/companhiadasletras
instagram.com/companhiadasletras
twitter.com/cialetras

Quando ela estava morta, eu beijei seu rosto, suas mãos, seu colo. Apertava seu pulso, abraçava seu corpo, chamava: mãe, mãe. Levantava sua mão e a deixava cair.

No dia anterior, quando ela ainda não estava morta, mas quase, eu aproximava meu ouvido do seu peito e ouvia a respiração. Era diferente.

É diferente estar quase morta de estar morta mesmo. É diferente, e só sei disso agora que ela morreu.

Se quando ela estava quase morta eu esperava que ela morresse, agora é como se eu a quisesse quase morta para sempre, só para ouvir sua respiração, a bochecha quente, os dedos da mão se mexendo mesmo que por reflexo, um ronco baixo no peito, o tremor nas pálpebras.

Nunca tinha ficado perto de uma pessoa morta e descoberta. Apenas do meu pai, mas um lençol o cobria, sobre o qual tracei com o dedo o contorno do seu nariz, gesto que repeti com a minha mãe depois que a cobriram.

Fui a única a permanecer com ela, ela morta. Fiz isso porque eu precisava, e por que precisava não sei dizer. Para estar mais com ela.

O homem do *chevra kadisha* me censurou. Disse que quem estava lá não era mais ela. Com que rapidez se aceita que a morte subtrai a pessoa, que a morte esvazia o que chamam de alma da pessoa.

Resisti: é o corpo da minha mãe. Era ela ou não era ela? Na hora, para mim, era. O corpo da minha mãe morta é minha mãe.

Tive a ousadia de abrir os olhos dela, e por trás das pálpebras lá estava o olho inteiro, da mesma cor, o mesmo olhar, ainda que ninguém olhasse por trás dele.

Não foi masoquismo, um prazer mórbido. Foi tão simples como uma despedida de amor ou a dificuldade da separação.

Nas últimas semanas ela adormecia com frequência enquanto conversávamos e numa dessas vezes ela acordou sobressaltada, gemendo, e eu e a Leda perguntamos o que foi?, e ela respondeu: a dor da separação.

Ela sabia que ia morrer e, apesar de sempre ter afirmado — e era verdade — não ter medo da morte, no final estava com medo, com muito medo. Ela pedia beijos sem fim, não queria largar o abraço e pedia mais e mais beijos.

No penúltimo dia antes de morrer, aproximei minha bochecha da sua boca e pedi beijos, e ela, semi-inconsciente, fez um bico com os lábios, chegando a dar um estalo. Também apertou minha mão e fez que sim e que não com a cabeça.

Por tanto tempo tive pressa pela morte dela, mas nos últimos dias eu só queria que demorasse para sempre.

Uma pessoa pode ser só o calor da mão. Isso basta para que uma mãe seja mãe e para que eu seja filha.

Ver o corpo morto e aceitar: mãe, você está morta.

Existe uma aceitação incontornável a um corpo morto. Não vou prendê-lo, me agarrar a ele, impedir que seja embrulhado, ensacado, encaixotado e transportado por alguém que não conheço — e a quem agradeço de coração — para dentro de uma geladeira. *Deve* ser assim. É horrível e *deve* ser assim.

Dever, aqui, quer dizer muitas coisas: é uma atribuição da maturidade realista, uma aceitação do ritual necessário de conformação à natureza (esse corpo vai se degradar) e à comunidade (os mortos devem ser enterrados) e uma demonstração de sanidade (não sou louca, não devo me agarrar ao corpo).

E existe ainda uma aceitação existencial, que oscila: aceito, não aceito: ela não existe mais. Minha mãe — o olhar, o sorriso, o beijo e o abraço — não existe mais.

Quando penso nela, penso no olhar, no sorriso que ela abria quando reconhecia que eu tinha chegado, no abraço e nos beijos inumeráveis, sobre os quais ela dizia que "tudo era muito pouco".

Nos últimos meses, ela se transformou em puro carinho. Tudo nela emanava um amor infantil, que acariciava com o olhar. Era como ser olhada por um cervo filhote, ser abraçada por um leão, ser beijada por um amante que recebe a amada. Sua mão grossa e quente apertava meu tronco e minhas mãos. Falávamos pouco. Ela adormecia, e muitas vezes dormi em seu ombro, ouvindo sua respiração lenta, me sentindo aconchegada. Ela era mãe. Ela se tornou mãe. Ela se reduziu a mãe. Ela era feliz porque tinha as três filhas, e nós três éramos o mundo todo, a vida toda para ela. Nada mais importava além de poder nos ver e beijar e abraçar.

Mãe é uma palavra perfeita, com a qualidade inteira dessa condição e cujo som não só coincide, mas é o seu próprio significado.

O "m" do som do aleitamento que faz da mãe uma mãe e do filho um filho, o "ãe" que é praticamente uma extensão mur-

murante, reflexa, do "m", combinação rara em português.

O que é mãe? Ser mãe. Sei que minha mãe era mãe. É mãe.

Às vezes sinto que ser mãe é ouvir essa palavra, que basta isso para transformar uma pessoa em mãe. Transformar uma pessoa em mãe, eu disse. Como se não bastasse ser uma pessoa para ser mãe.

Mãe é diferente de pessoa. Falando agora por mim — e valeria também para a minha mãe —, mãe é loucura. Mãe é a condição mais absurda, e talvez errada, que a sociedade ocidental inventou e cultivou. Amar uma mãe e amar os filhos é um desvio insustentável do amor. Um sentimento que ultrapassa a própria capacidade de compreender e até de sentir o amor.

Minha mãe morreu de amor? Não, ela morreu de dor. Seus pés gangrenaram, num processo infeccioso irremediável, e de tanto não suportar a dor dos curativos foi preciso sedá-la, o que dificultou sua alimentação e acabou levando-a à morte. Morte que aconteceria de qualquer jeito, mas que foi assim.

Quando me perguntam do que ela morreu, é difícil dizer que foi de uma infecção nos pés. As pessoas ficam sem resposta, esperam que eu lhes facilite a vida — perguntar sobre uma morte é uma convenção embaraçosa da qual todos querem se livrar facilmente e a que a filha da morta acede com educação, apesar de querer continuar a conversa. As pessoas esperam ouvir de mim câncer, pneumonia, infecção urinária (ah, sim, isso é muito comum em idosos), e quando digo "infecção nos pés" cabe a elas um olhar interrogativo, e a conversa deve prosseguir por mais alguns minutos.

Infecção nos pés, pés gangrenados. Eu nunca tinha ouvido falar que se podia morrer disso.

Durante mais de dois anos, desde que a saúde dela começou a realmente se deteriorar, ela teve algumas infecções, e a médica prognosticou a morte próxima dela algumas vezes. Nós nos preparávamos o quanto podíamos, de forma emocional e prática, mas logo descobríamos que o prognóstico não iria se realizar. Ela contrariava todas as previsões, depois de um período ruim seu quadro se estabilizava e ela melhorava, surpreendendo a todos e até a médica, que repetia nunca ter visto um caso assim.

Sobre isso cheguei a inventar uma teoria mágico-orgânica. Eu dizia que o corpo da minha mãe, por ter combatido uma infecção grave no joelho em Auschwitz, sem remédios nem cuidados, devia ter guardado a memória desse enfrentamento e por isso, quando se deparava com uma infecção urinária ou pulmonar, dizia: "Só isso?".

A Stela chegou a dizer — e eu concordei — que somente quando o corpo dela atingisse o estado de degradação e magreza a que ele tinha chegado no campo é que ela morreria. E foi o que aconteceu. As imagens dela antes da morte se parecem com as imagens de prisioneiros dos campos de concentração.

Tento não criar metáforas para uma morte por infecção nos pés, mas me espanto repetidamente com a simplicidade e a pobreza dessa doença, comparadas à grandeza da vida e da história da minha mãe. (Minha mãe: essas duas palavras me atropelam.)

Fico pensando no verso "Not with a bang but with a whimper"* e que minha mãe, es-

---

* "Sem estrondo, num gemido", do poema "Os homens ocos", de T.S. Eliot.

sa mulher imortal e heroica, deveria ter morrido de um jeito que abalasse a estrutura da cidade, que fizesse o céu cair e a terra tremer. Mas não, foi por causa de uma infecção lenta e insidiosa que começou com uma bolha num dedo do pé.

Pensando bem, é uma morte que combina com ela: simples, imprevisível e sem incomodar quase ninguém.

Penso também numa piada típica judaica: um homem encontra uma mulher chorando e pergunta o que houve. Meu marido morreu! Morreu? De quê? De gripe. Ah, de gripe! Ainda se tivesse sido de câncer...

E junto ao estranhamento provocado pela resposta sobre a causa de sua morte, vem sempre a pergunta ainda mais incômoda: "Quantos anos ela tinha?", ao que eu sou obrigada a responder, já antevendo o olhar aliviado que se seguirá: "93".

Noventa e três anos de vida simplificam tudo. "Ah, bom, então ela viveu muito, teve uma família linda... Que bom que vocês puderam aproveitá-la por tanto tempo e agora têm muitas histórias e lembranças para guardar." Ou então: "Mesmo com essa idade a dor é sempre a mesma".

A muita idade deve diminuir, ou ao menos atenuar, a dor, é verdade. Há razão nisso. A morte de uma pessoa velha é menos chocante do que a de uma pessoa nova.

Mas recuso esse alívio, qualquer tipo de alívio.

Às vezes penso que poderia até ser o contrário e que a morte de uma pessoa muito velha deveria ser como a morte de uma montanha ou de um totem — uma perda monumental, um abalo na estrutura de uma comunidade. Dona Lili, morta, seria como o fim de uma árvore frondosa. Foi.

Esses dois anos de iminência da morte, em que, de alguma forma, nos preparamos para perdê-la, foram os mais estranhos da minha vida.

O fato de supostamente sabermos que ela viria a morrer logo nos fazia — é melhor eu falar por mim —, *me* fazia desejar (não sei se a palavra é essa) a precipitação da morte. Se era para ser, então que viesse logo, com o menor sofrimento possível. E o fato seguinte de ela melhorar e se estabilizar acabava gerando em mim, por incrível que soe, certa decepção, e culpa por essa decepção de ela não ter morrido.

Mas logo em seguida vinha o alívio por ela mais uma vez ter sobrevivido, e as piadas por ela já ter ultrapassado a fronteira da morte. Eu dizia, rindo: "É preciso pensar no mundo que nós e nossos filhos vamos deixar para a Dona Lili". Nesses momentos de surpresa, em que a sua capacidade de sobrevivência superava todas as previsões, ela se transformava em Dona Lili, mais do que mãe ou a minha mãe. Como se fosse uma entidade ou uma super-heroína.

Depois de alguns poucos meses, ou mesmo semanas, lá vinha uma nova previsão de morte, que aceitávamos com uma desconfiança cada vez maior, chegando algumas vezes a nem levá-la a sério. Se a cuidadora me telefonava dizendo que algo tinha acontecido, eu ficava alerta, mas o telefonema terminava com uma afirmando à outra que no dia seguinte Dona Lili estaria ótima. E era o que acontecia.

Quando o prognóstico pareceu finalmente acertado e a médica estimou cerca de um mês de vida, depois semanas e por fim dias, a sensação era de medo e também de alívio: é agora. Mas por trás disso ainda se ocultava alguma desconfiança, quem sabe demore mais um pouco, quem sabe nem aconteça?

Mas chegou o momento da inexorabilidade, esse que se abateu até sobre a intocável Dona Lili. Para mim era da ordem do inaceitável vê-la realmente combalida pela natureza, pela doença, pela inanição. Inaceitável ver que também ela se submetia à indesejada das gentes.

Por muito tempo, especialmente com a infecção nos pés, que ia gangrenando seus dedos, eu teorizei, senti a morte nela, como se estivesse vendo e conversando com uma pessoa não completamente viva.

Pensando agora, acho isso uma grande idiotice. Ninguém está completamente vivo, a morte está o tempo todo dentro de nós, e não é porque uma pessoa está doente, ou até muito doente, ou à beira da morte, que ela está menos viva do que qualquer um de nós. A diferença entre a vida e a morte, mesmo logo antes de a pessoa morrer — isso só sei agora —, é a diferença entre um trovão e o silêncio.

Mas quando realmente vi a morte estampada no rosto dela, quando me dei conta de que só restavam horas, tudo mudou.

Num domingo, às sete da manhã, quando perguntei à Ana "Tudo igual?" e ela respondeu "Não, ela acaba de partir", foi como se tivesse sido decretado o final de um jogo, algo marcado para acontecer. Por isso as tantas preocupações que vivemos agora no fim me causam muito estranhamento. É como se o sofrimento e a dor já viessem sendo administrados homeopaticamente por dois anos, e no momento da grande dor ela já chegasse amortecida — que palavra — por sucessivas preparações. Como se a morte não fosse um fato, mas uma consequência.

Só aos poucos, superado o tempo do alívio pelo sofrimento que minha mãe vinha sentindo, é que a morte, em mim, vai se instalando como o acontecimento que ela é: a ausência completa.

Não poder mais dizer "mãe" e ouvir uma resposta; nunca mais ser chamada de "Nô" com a voz dela, como ela fez nos últimos dias numa gravação do celular, "queria te dar um beijo, estou com saudades".

Esse nunca mais, como no poema "O corvo", é a grande dor. Esse decreto impositivo do tempo, como a voz de um grande deus, "nunca mais". E as lembranças, as imagens, as fotografias, o cheiro que fica em alguns objetos, os filmes em que a vejo falando e sorrindo, poder escrever sobre ela, continuar o legado, nada disso nem sequer se aproxima do abraço apertado do qual ela não queria se soltar de jeito nenhum.

Sei que a ausência vai se transformar em outras coisas com o tempo; é inevitável e dizem que até desejável que seja assim. Mas por enquanto eu me recuso. Não quero essa transformação. Não quero deixar partir a lembrança viva da morte dela. Quero que doa, que doa fundo, não por masoquismo, mas para não perdê-la, para não perder seu corpo mesmo que doente. Quero sentir a ferida dessa ausência, o buraco dentro de mim. Quando entrei na casa dela no dia da morte, fui rápido até o quarto para vê-la. Naquele momento era o que eu precisava e queria fazer, era uma urgência.

Penso agora, duas semanas depois, que essa necessidade não era a de ver o fato consumado, a morte nela. Era até o contrário, um tipo de fantasia e sonho de *ter* a morte dela, de tê-la em mim, incorporá-la, e talvez também recusá-la.

É isso, sim. Agora contenho essa morte, essa morta que vi, que agarrei e beijei, e é essa a imagem que retorna, que me assombra e me acalenta ao mesmo tempo.

Dona Lili, sempre sorridente, inexpressiva.

A Stela não entende isso que ela chamou de "prazer de estar perto da morte", como se achasse uma espécie de tara. E eu não entendo o desejo de só lembrar dela saudável e sorrindo. Fotografei o caixão, ela embrulhada no lençol, ela ali dentro. Prefiro falar "morreu" em vez de "partiu", "se foi" ou a horrível "faleceu". Para mim, essa aproximação com a morte, com a morte *dela*, é indispensável: a feiura, a magreza, a dor. Quero ter isto em mim: a Dona Lili, saudável e doente.

A querida amiga Veronica me escreveu, numa mensagem linda, depois que soube da minha mãe: "Sei que a morte vai nos deixando cada vez mais diferentes do que éramos e cada vez mais parecidas com o que somos".

Acho que o que estou tentando explicar está aí, no absurdo dessa frase contraditória.

Será que vou me tornar para sempre uma pessoa mais triste? Será que já sou uma pessoa triste e agora, sem minha mãe — minha fonte de alegria —, estou mais parecida com o que sou?

Sou, somos muitos. E somos mais parecidas com o que somos, de formas diferentes, em muitos momentos da vida. Mas a morte é avessa à mentira e ao teatro. Ela suspende as máscaras, ainda que temporariamente, as máscaras boas e as ruins também. E agora, que é Carnaval, vejo fotos de amigos mascarados e não consigo compreender o que toda a gente comemora.

Mas, de alguma forma, sinto que também eu estou celebrando o Carnaval, essa festa da carne, sinto que é preciso celebrar a carne, que é preciso mascarar-se de verdade, vestindo rostos e roupas falsas, ser o contrário do que se é, não ser, ser não. Celebrar a morte do que se é, outra vida, viver tudo o que for possível.

Eu também, meio reclusa e mais silenciosa, celebro, saúdo o corpo — vivo e morto —, o começo e o fim, a terra e a terra, a ciganice da minha mãe.

Enquanto escrevo, vou descobrindo o que sinto, e alguma lógica, ainda que absurda, vai se perfazendo. Outra coisa muito boa que ouvi durante o período mágico das rezas na sinagoga — rezas das quais agora sinto falta — foi a fala do rabino Ruben, que adorei conhecer. Ele lembrou que se costuma dizer que a pessoa morta deixa parte dela com quem fica, mas que esquecemos de pensar que ela também leva consigo uma parte nossa. Isso me calou fundo. Que parte de mim minha mãe levou? Sinto meus olhos mais caídos, mesmo sem ter comprovado isso no espelho. Quero consumir menos, estou mais quieta, sem vontade de conversar com as pessoas. Mas isso deve ser a tristeza de agora. O que será que ela levou de mim de definitivo?

Não sei dizer. Acho que vou passar a ser eu mesma mais um buraco.

Lá vai a Noemi mais um buraco.

Sei que agora me sinto como a Clarice Lispector no poema de João Cabral, quando todos falavam de morte e passaram a falar de futebol. Assim que se fez silêncio, Clarice perguntou, pedindo: "Vamos voltar a falar de morte?".

A vida cotidiana logo após a morte dela é consoladora e difícil. Tenho muitos compromissos a cumprir — aulas, leituras, concurso, textos, casa, advogada, contas — e cumpro cada um deles bem, e até sem muito peso, mas todos agora se cobrem de um véu diferente. Todos têm como um pó de morte em volta que os torna ao mesmo tempo sem sentido e cheios de sentido. Quero e consigo fazer tudo o que preciso e gosto — assisto a filmes, leio livros, brinco com a cachorra, como com prazer, rio, converso —, mas tudo se reveste de mais beleza e de uma espécie de tato, palavra que acabou de me ocorrer. Tudo o que gosto parece mais pegável, e presto muita atenção aos sentidos. O sabor do abacaxi, do sorvete, a fotografia em um filme — coisa em que nunca prestei muita atenção —, o ritmo das frases de um livro, o som das palavras, o verde dos olhos do João, as pétalas roxas da árvore no piso do terraço. Observo tudo isso sem pensar em nada. Na verdade só me dou conta disso agora. É engraçado. As coisas revestidas de morte são também as coisas revestidas de vida.

Nesses dias que se seguem ao dia da morte, fui várias vezes à casa dela. Na primeira semana, todos os dias, por causa da *shiva*, palavra que, em hebraico, quer dizer tanto "sete" como "sentar", porque nesses sete dias os parentes mais próximos da pessoa morta devem se sentar o mais perto possível do chão, recebendo quem for visitá-los.

A Stela recebeu várias visitas nesses dias. Todas as tardes vinham duas ou três amigas, e elas passavam algumas horas conversando antes de irmos para a reza da noite na sinagoga.

Eu não suportava. Não conseguia me dedicar à conversa social, embora compreenda a importância dela nessa hora — supostamente distrair o enlutado ou lembrá-lo de que a vida continua (aí é que está o problema). Me sentia apartada e pensava que éramos nós que precisávamos distrair as visitas do peso da morte e não o contrário. Assim que possível, me retirava com alguma desculpa e ia para o quarto dela ver fotos antigas, deitar na cama onde ela se deitava, sentir seu cheiro, ficar olhando suas roupas e bijuterias. Ironia dos enlutados: distrair as visitas. Tentar me lembrar de cada hábito dela, das brincadeiras verbais — muitas —, reter o cheiro, guardar os objetos.

Todos os dias alguma lembrança: quando ela tinha fome, cantava uma musiquinha antiga da televisão: "Comer, comer... é o melhor para poder crescer". Quando eu mandava um beijo, ela falava: "Não vou te devolver". Dizia "Quem é essa feia?" quando a Leda ou eu chegávamos. Adorava o doce mil-folhas e, quando comia um, sempre dizia que aquele tinha vindo apenas com 999.

No final, adorava uma música italiana cantada por um desses grandes da ópera, tipo Pavarotti ou algo assim, e que a Dina, uma das cuidadoras, escutava muito. Era algo como "Io partirò", e ela chorava quando chegava essa parte, dizendo: "partirei". Ela nunca tinha sido de gostar de música, muito menos de prestar atenção na letra, e nós estranhávamos, como se não fosse ela. Mas era ela, sim, e algumas coisas dela por muito tempo soterradas foram aparecendo nesse final.

Algumas vezes ela chegou a me dizer que sofria com a guerra mais agora do que quando a guerra realmente aconteceu. Com isso, a ideia de que ela tinha conseguido sobreviver daquela forma tão alegre e generosa por ter optado pelo esquecimento caiu um pouco por terra (as expressões agora têm outros significados).

Ela realmente optou pelo distanciamento e pelo esquecimento, mas nos últimos anos algumas coisas foram se modificando e algumas questões — que sempre deviam estar na cabeça e no coração dela — surgiram.

Pode ser que ela estivesse amadurecendo; pode ser que tenha se dado conta de que não havia mais a necessidade de esquecer, já que sua vida estava consolidada e meu pai, morto; pode ser que a proximidade da morte a tenha feito suspender um pouco a necessidade do esquecimento; pode ser que ela tenha sentido mais intimidade comigo. Não sei e não importa.

Ela se perguntava: "Por que minhas primas pediram para eu dizer que tinha roubado a manteiga, se não tinha sido eu?"; "e por que aceitei?", como que censurando sua ingenuidade, bondade. Ou então:

"Por que meu irmão fez isso comigo? Por que roubou meus documentos para dar para a namorada?".

Parecia que o tempo a tinha feito se dar conta do que ela havia passado e do que tinham feito com ela. No calor dos acontecimentos, e especialmente sendo uma pessoa tão prática, tudo o que ela queria era conseguir sobreviver e, tanto quanto possível, esquecer e aceitar.

Ela foi uma pessoa que aceitou. Uma aceitadora. Mas nos últimos anos foram surgindo não recusas, mas dúvidas sobre essa conduta. "Por que aceitei tanto?", e isso devia doer demais. Demais, demais. Como tantas pessoas que passam por uma guerra costumam dizer, a guerra nunca mais sai de dentro de você.

Viver quase a vida inteira um processo de esquecimento — espontâneo ou forçado

— e passar a se dar conta disso na velhice deve ser atroz. É quase como se a guerra voltasse. Nos últimos meses de vida, ela se tornou muito sábia, eu e a Leda a escutávamos, atentas a tudo o que ela pontificava sobre a vida. "Os animais são muito melhores do que os humanos", "A humanidade é besta e quase todo mundo é ruim", "Trump é besta" ("besta" era um xingamento muito grave para ela), e o mais enfático e repetido de todos os seus conselhos ou sentenças: "O importante é ter saúde. Quem tem saúde tem tudo: amor, dinheiro, alegria".

Muitas vezes, bem doente, mas sem se dar conta disso, ela se dizia curada, que as dores tinham passado e que "A melhor coisa é não ter dores".

Não suporto pensar em quantas dores ela sentiu, e foram muitas. E até isso ela aceitou, com algumas exceções.

Depois da semana de *shiva*, ainda fui mais algumas vezes à casa dela — que logo não será mais dela, e a antecipação disso me dói, porque significa que não vai mais existir um *lugar* para eu me lembrar dela, que toda a lembrança vai estar só dentro de mim, de nós e nos poucos objetos que levaremos dela. Preciso de um lugar, por isso não gosto da ideia da cremação.

Fui lá para ver que coisas dela vou levar para mim e para minha casa. Vamos desmontando a sua casa, esvaziando armários, gavetas e designando o que fica com quem: toalhas de mesa, inúmeros guardanapos de pano desparelhados, paninhos bordados, copos, xícaras, pratos, talheres, panelas, roupas, bolsas, sapatos, colares, brincos, anéis. Nada valioso. Ela gostava de imitações, para ela eram idênticas ao original — ela não sabia diferenciar, tinha um olho bem pouco refinado para isso —, além de ser bem mais baratas. Por isso cada uma de nós só ficará com poucas coisas, só as mais simbólicas.

Ir desmontando a casa, ver as coisas dela espalhadas descuidadamente pelo chão e pelas mesas, ver uma casa morrendo junto com sua moradora. Uma sensação de se submeter ao que é incontornável e de ainda tentar se persuadir do privilégio que é poder ficar com algumas coisas dela. Conhecê-la ainda melhor através de suas coisinhas: um pijama imitando seda guardado num saquinho e um jogo de cama de cetim cor-de-rosa enfiado numa gaveta. Terá sido presente do meu pai, sonhando com noites românticas de cinema — ele era assim — ou será que ela mesma comprou e escondeu (talvez de si própria)?

Em cada bolsa e em cada bolso de casaco, quase sem exceção, um ou mais lencinhos de papel, amassados. Eu não lembrava dela assoando o nariz o tempo todo. De repente: carinho por esses papéis e a vontade impensável de guardá-los.

Vontade de guardar tudo da mãe morta. Pego dois ou três batons pouco usados e passo um deles na boca. Não é uma cor que eu use, mas passarei a usar. Ter na boca a cor dela, o batom que já passou por seus lábios.

Fetiche. Amor. É amor.

Ela era vaidosa, e as roupas que em nós ficam tão feias nela ficavam lindas e compunham a figura elegante que ela exibia nas festas e reuniões. Sem ela, essas roupas tornaram-se inócuas, como se concebidas apenas para aquele corpo. Decidimos doar tudo.

Um penhoar que comprei junto com ela quando eu tinha onze anos e fomos aos Estados Unidos: comprido até o chão, todo de matelassê, com estampas de frutas e fundo de bolinhas. Como ela gostava desse penhoar! Mas eu não quero, não vou usá-lo. O que fazer com ele? Nada.

Os quadros na parede, que ela adorava. Todos grandes demais e nenhum do meu agrado, nem do da Stela ou da Jany. Doar também. As paredes vão ficar vazias e outras pessoas vão pendurar outros quadros nelas.

Se ela era uma aceitadora, acho que sou um tipo de recusadora. Me recuso a ouvir ou mesmo a me dizer a frase famosa "A vida continua". Em certo sentido ela não continua, não. A despeito da imponderabilidade do tempo, algo estaciona e fica parado lá na parede onde falta o quadro.

Vontade de colocar um aviso: "Mantenha este espaço vazio".

Minha irmã diz que nossa mãe gostaria de nos ver pegando amigavelmente as coisas dela. É verdade, acho que ela gostaria mesmo, e me sinto feliz de que algumas coisas de que eu até gosto fiquem com minha irmã e não comigo. Mas a bagunça. Ela detestaria a bagunça que estamos fazendo em sua casa; ela prezava muito uma aparência de ordem.

Depois vêm os móveis, os tapetes, os livros e as fotografias. Já peguei um livro: *O linguado*, do Günter Grass. Ainda vou pegar outros. Quais será que ela leu? Quero ver marcas da leitura dela, mas não há.

Ela adorava ler e até alguns anos atrás lia bastante, mas lia rápido demais, sem prestar atenção na pontuação e esquecia quase tudo com a mesma rapidez. Amava biografias, como a da Hillary Clinton, da Sophia Loren e da Elizabeth Kennedy. Adorava o Obama, mas nunca leu a biografia dele.

Um de seus sonhos era ter estudado mais, ela se achava pouco culta e inteligente. Onde cabia tanta frustração numa mulher tão alegre?

Tão pouco o que ela deixou, e típico dela ter deixado esse pouco. Tão bonito deixar esse pouco, e me apego aos colares que nunca vou usar.

Como o corpo dela, as coisas vão se desfazendo. E para além das coisas da casa, os bens: alguns imóveis e o apartamento dela. O que fica com quem?

No meio da semana do luto, a visita à advogada e o início de uma discussão em tom mais elevado. A própria advogada se constrange de lidar com esse assunto no meio da *shiva*, mas a Jany não mora aqui e precisamos resolver algumas questões antes de ela voltar para Israel.

Diferenças convenientemente ocultadas afloram e, por um tempo, parecem controladas. Não sabemos nem gostamos de brigar, como ela. Nem é preciso. A herança não é muita, é possível chegar a um acordo.

Para mim, dividir os bens da pessoa morta é remontar a um passado distante e também a um futuro distante. Por coincidência — mas não há coincidência aqui —, enquanto mexíamos nas coisas dela, a Stela e eu tivemos o mesmo pensamento: que quando morrermos serão nossos filhos a fuçar. Palavra pejorativa "fuçar", mas adequada e até bonita nesse caso, em que nos tornamos um pouco animais farejando com o focinho o cheiro da mãe.

Eles vão ficar se lembrando de nós, e nós duas sentimos a vontade de deixar coisas muito legais para eles e de esconder algumas para que digam, surpresos: "Olha só o que ela escondeu!".

O passado distante é a chegada dos meus pais ao Brasil sem falar a língua, sem profissão, sem formação, sem nenhum dinheiro, e as formas que eles foram encontrando de fazer negócios, favorecidos, é claro, pelas condições do país nos anos 1950, sob o governo de Juscelino Kubitschek.

Meu pai vendia as roupas que minha mãe fazia, batendo de porta em porta, e carregando uma maleta. Ele contava histórias desse tempo, de como gostava de lanchar e dormir embaixo de uma árvore, de como foi fazendo amizade com os comerciantes da 25 de Março — árabes cristãos — e da Mooca. De como uma vez um fiscal apreendeu as mercadorias dele, porque o comércio ambulante era ilegal, e de como meu pai e minha mãe finalmente alugaram os fundos de uma confecção que já existia. Os pedidos foram aumentando e meu pai acabou comprando o primeiro imóvel, na rua Correia dos Santos, 179, que na época era tanto a casa onde eles moravam como a oficina onde trabalhavam.

Sempre gostei deste nome, oficina, e não loja nem fábrica. Hoje sou eu que dou oficinas, no caso de escrita, e, de alguma forma, parece que estou fazendo a mesma coisa que eles faziam, cumprindo um ofício.

Mais tarde os dois compraram um apartamento na mesma rua, no 159, que foi onde eu nasci. Alguns anos depois, meus pais, já bem mais instalados e bem-sucedidos, tendo como principais clientes as Lojas Marisa e as Lojas Hella, e um esquema de produção bem mais organizado — com cortadeiras, ajudantes, caseador, entregadores, costureiras externas, contador —, compraram um apartamento na área mais nobre do Bom Retiro, na rua dos Bandeirantes. Um apartamento grande, bonito, num prédio projetado por arquiteto. Meu pai passou a gostar de comprar imóveis, sempre de boa qualidade. Daí vieram o apartamento da

Stela, em Higienópolis; o da Jany, também no mesmo bairro; um predinho na rua Tenente Pena; o meu, em Perdizes; e o apartamento no Guarujá, que era o sonho dele e que, enquanto ele viveu, aproveitou muito, com alegria e orgulho.

A maioria dos imóveis que meu pai comprou não foi para especulação, mas para uso próprio. E também o fato de que, enquanto muitos e muitos judeus migravam para Higienópolis, por ser um bairro muito mais elegante, meu pai se recusou a ir para lá. Nunca largou as raízes de imigrante europeu, mais precisamente do interior fundo da Iugoslávia, mantendo suas calças largas de Tergal, camisa para fora da calça, o bolso cheio de um maço de dinheiro enrolado em elástico, bebendo coca-cola no gargalo no bar da esquina e conversando com fiscais e mendigos, coisas todas impensáveis em Higienópolis. Alguns meses depois que ele morreu, a primeira coisa que minha mãe fez foi comprar um apartamento em Higienópolis, na rua Albuquerque Lins, num prédio de arquitetura colonial, com o nome de Mansão Tintoretto.

Meu pai era extremista. Gostaria de ter sido muito rico mesmo, de preferência dono de uma siderúrgica, trabalho da adolescência dele, tipo o Antônio Ermírio (que ele admirava muito), ou então pescador, vivendo numa praia, numa cabana, sem pensar em posses ou em dinheiro. Ficou no meio-termo, até morrer bastante frustrado.

Para mim, agora, dividir os imóveis entre nós três, decidir quem fica com qual, avaliar valores, conversar com a advogada e, eventualmente, discutir ou até brigar, tem a ver com essa história. De algum jeito, me assombra vendê-los, como se não tivéssemos o direito de nos desfazer de bens que foram tão custosos adquirir. Sei que é bobagem, mas é como se eu estivesse intervindo na história. Mas, afinal, estamos — eu estou — o tempo todo fazendo isso; escrever sobre a história é uma forma de intervir nela, modificando-a. A história pura não existe; mesmo o que acabo de contar pode estar muito longe do que aconteceu.

Tomar posse dos bens também me projeta para um futuro distante, quando eu e minhas irmãs não estivermos mais aqui e nossos netos forem usufruir ou decidir o que vai ficar para eles.

Eu, sempre tão anticapitalista, a vida toda de esquerda — e agora mais do que nunca —, pensando em bens, legado e herança. Deixar coisas para que meus filhos se sintam seguros num país e num governo totalitários. Que estranha essa preocupação, que vem mais do ventre que do coração ou da cabeça.

Ser um pouco o meu pai, ser um pouco a minha mãe, agora que ela não está mais aqui comigo. Honrar a simplicidade do pensamento dela; ela lutou e sofreu para ter o que nos deixar e eu devo pensar em quem vem depois de mim. Não queria que fosse assim, mas está sendo e será.

À MEDIDA QUE ESCREVO ISTO QUE, parece, vai se transformando num livro, vou me sentindo um pouco melhor, o que me assusta em muitos sentidos.

Não quero me sentir melhor, ao menos não por enquanto, porque significa a possibilidade de ir integrando a lembrança viva do toque dela, de seu rosto, do buraco de sua ausência, ao meu cotidiano. Não quero que isso aconteça. Quero continuar tendo, mesmo com a rotina quase normalizada, intervalos de concentração na dor e na lembrança física da presença dela.

Não quero que as circunstâncias que atenuam o tamanho de sua morte — e elas são reais — atenuem o tamanho do meu luto, palavra de que gosto.

Não quero entender, apaziguar a morte dentro de mim, transformá-la em outra coisa, embora seja exatamente o que estou fazendo.

Tudo é contraditório e quero acolher essa contradição de coração, viver o riso e o choro simultaneamente, sem que um semblante alegre ou sessões de risadas signifiquem que estou mais feliz.

O quanto disso é culpa por eu não estar desesperada — como muitas vezes pensei que ficaria, enquanto ela estava viva —, eu não sei. Acho que essa culpa existe, mas é pouca. O que não quero é que os fenômenos inevitáveis que o tempo provoca — o esquecimento, o processamento (palavra horrível, lembra comida enlatada, e que é mesmo um pouco o que a mente faz com a dor), a integração, a naturalização e até a banalização — ajam rápido demais sobre as lembranças, bênçãos do cérebro. Elas me permitem recordar tão bem o abraço e o sorriso dela que quase chego a senti-los. Quero retardar a ação do tempo.

"A vida continua". Mas o que é a vida? Como se a vida fosse aquilo-que-acontece-fora-da-morte. Mas não é assim. A vida continua, claro, mas agora *com* a morte, com a morte dela, e não apesar ou além disso.

Acho que um dos maiores problemas da nossa civilização atual é a separação, e até a oposição, entre vida e morte, incluindo nisso o tratamento que a sociedade reserva aos velhos e aos muito velhos, àqueles que se avizinham da maldição da morte. Vivemos apartados da dor, da doença e de todos os buracos possíveis.

Somos uma civilização que odeia buracos, queremos tudo coberto e higiênico. Carecas, uretra, buraco do xixi, cortes, arranhões, buracos feitos pelos animais, tocas, buracos nas calçadas, nas paredes, boca, batidas, rompimentos, fendas, frestas, buracos nos tecidos, nos livros, nos papéis, pausas, faltas, assimetrias, quebras, ausências, espaços vazios. Tudo deve ser tampado, tapado, limpo, preenchido, arrumado, esquecido.

Nosso distanciamento e horror aos buracos vai nos tornando uma sociedade incapaz para a morte e, tenho a sensação, incapaz também para a vida.

Uma das cuidadoras, a Dina, me lembrou de uma brincadeira que a minha mãe fazia e de que eu só me lembrava pela metade, apenas dela dizendo "Não me queixo", mas não do porquê dessa resposta.

Quando alguém oferecia chá, perguntando "Quer chá?", ela ouvia algo como "Quecha?" e respondia "Não me quecho". Ou melhor "no me quecho", como ela falava, com o sotaque lindo dela.

Se perguntavam "Quer alguma coisa pra beber?", ela respondia que não tinha bebê na casa. É uma brincadeira que eu também sempre faço, mas que não sai da minha boca com a mesma graça doce com que saía da boca da minha mãe.

Aliás, a palavra "doce", lembro agora, e que eu uso muito — especialmente com minha cachorra e sempre que sinto uma lufada poderosa de amor por alguém, coisa cada vez mais frequente —, vem dela. Ela me chamava muito de "Doce", "Meu doce", "Você é meu doce". E no final ela mesma se tornou puro doce.

Doce, elogio mais lindo do mundo.

Muitos velhos, quando se aproximam da morte ou ficam muito doentes, tornam-se rabugentos, caprichosos. Não ela. Ela, que tinha muitos defeitos e problemas quando saudável — teimosa, muitas vezes insensível —, na doença se transformou em pura doçura, o que diz muito sobre quem ela era de verdade, se é que existe esse ser de verdade.

Um xingamento que ela adorava, além de "besta", era o "vai tomar banho", que ela adaptou para "vai tomando banho". Quanto carinho eu tenho por esses xingamentos!, e remexendo nas coisas dela, eu mesma tenho, a toda hora, xingado ela de "besta" também, pela desfaçatez de ter morrido e desaparecido para sempre da minha vida. "Besta!"

Ela dizia "cábelereiro", com a tônica na primeira sílaba, como fazem os húngaros. Em duas das últimas conversas que tivemos, uma junto com o David e outra com a Leda, a gente se divertiu muito. Eu procurava no tradutor do Google como dizer algumas frases em húngaro, reproduzia para ela ou então fazia perguntas. E ela entendia quase todas, rindo enquanto as respondia.

Dizia "premiera" em vez de "primeira". Queria muito saber se o certo era dizer "cuidadora" ou "cuidadeira". Dizia a linda expressão "palavra minha", para garantir que o que ela falava era mesmo verdade. "A gulha", em vez de "agulha", e "a çougue", em vez de "açougue". "Nós dois", em vez de "nós duas", e estranhava, como a Leda gosta de contar, a expressão "muito pouco". Como pode ser muito pouco? Se é pouco é pouco, não muito. Devia ser pouco pouco.

Ou, eu digo, pouquíssimo pouco. E por que será que não existe "pouco muito"?

Revirando mais uma vez as coisas — coisinhas-dela, dezenas de guardanapos de pano que deviam ter feito conjunto com algumas toalhas de mesa bonitas, mas sem as toalhas. Onde será que elas estão? Será que ela perdeu? Mancharam? Ou talvez nunca existiram e ela só tenha guardanapos. Pode ser que os tenha comprado avulsos, em bazares, pode ser que tivesse um gosto secreto por guardanapos de pano bonitos ou que talvez comprar só os guardanapos fosse mais barato do que o jogo inteiro.

Quais será que eram os segredos da minha mãe?

Os segredos da mãe, uma interdição para as filhas. Ideia de que mãe não pode ter segredos. Um segredo lindo, colecionar guardanapos. Provavelmente eu o inventei, mas vou tratar disso como uma verdade possível.

Ela não era pão-dura no sentido tradicional do termo, mas tinha uma pão-durice particular, muitas vezes irritante.

Nunca economizava quando se tratava de dar dinheiro para nós ou para os netos, se precisávamos e mesmo se não era o caso. Nisso sempre foi generosa. Mas era pão-dura com muitas besteiras — palavra dela. No avião, ficava com os guardanapos (será que os usava como lencinhos?). Nos restaurantes, quando viajávamos juntas, ela detestava que pedíssemos uma água para cada uma, porque iria sobrar e, quando realmente sobrava, ela juntava o restante da água numa garrafa só. Temia muito que pedíssemos mais comida do que o necessário. Tinha horror, pavor mesmo, de que sobrasse comida na geladeira e fosse preciso jogar fora.

Mesmo bem velhinha, achava absurda a ideia que a Dona Ada defendia, de viajar na classe executiva. "Que que tem", expressão que ela usava muito, "oito ou dez horas desconfortável? Pra pagar o dobro? Absurdo."

Não aceitava as diferenças inacreditáveis no preço de um jeans da José Paulino e de um jeans de marca, e de jeito nenhum enxergava a diferença entre um e outro.

Claro que tudo isso se explicava por todas as privações que ela passou, mas, no dia a dia, era difícil entender.

Ela comprou uma imitação bem mal falsificada de uma tapeçaria gobelin, mas, como com o jeans, não notava a diferença e se orgulhava de ter um gobelin. Era refinadamente não refinada, e como é bonito ver os terninhos dela com uma flor artificial na lapela. Como eu gostaria de poder e saber usá-los! A Dona Lili das coisinhas.

"Como vai, como vai, como vai, como vai como vai, vai, vai!", era um dos jeitos de ela cumprimentar. Se não me engano, era o cumprimento de um palhaço dos anos 1960. E ela completava, por conta própria: "Se você vai bem, eu vou também".

Quando eu perguntava "E então mãe, o que você conta?", ela respondia: "1, 2, 3". E se eu dizia "Não, mãe, conta mais", ela continuava: "4, 5, 6".

Sempre pensei em como ela não aprendeu muito bem o português, mesmo depois de setenta anos aqui, e como, durante todo esse tempo, não corrigiu alguns erros que, provavelmente, cometia desde que chegou. Mas vejo agora como estou enganada. Não eram erros. Ela prestava muita atenção na língua e nas palavras, mas do jeito dela, não do meu.

Na minha adolescência eu a corrigia com frequência e lembro de ela ficar brava comigo, com toda a razão. Quem essa fedelha pensa que é para vir corrigir a mãe? Além disso, sei que ela reconhecia a vergonha que eu sentia por ela falar tão errado. Como sinto raiva de mim por isso.

Por sorte essa vergonha ficou na minha adolescência, depois de adulta eu admirava seu sotaque e supostos erros, tão criativos e significativos. Eram pequenas traduções do sérvio e do húngaro. Como eu expliquei no livro O *que os cegos estão sonhando?*, cujo título vem de uma frase da minha mãe, ela não reconhecia bem a diferença entre o presente simples e o presente contínuo e podia dizer "A terra está girando", no lugar de "A terra gira", o que gerava mal-entendidos lindos.

Algum falante do húngaro deve saber explicar o porquê disso.

Ela adorava minhas mãos, os dedos finos e uma coisa que eu não entendia e que ela admirava: como as falanges superiores dos meus dedos se dobravam. Ela detestava que seus dedos fossem duros e inflexíveis. Engraçado reparar nisso.

Faz alguns anos que parei de roer as unhas — horror dela, mas principalmente do meu pai —, e ela gostava de esticar minha mão e vê-la feita com as unhas pintadas. Mas não gostava que eu pintasse de cores muito escuras. Tinha uma em especial que ela apreciava muito, um rosa meio lilás, que ela dizia: "Não grita nem fica quieto".

Um resumo do que ela era: uma defensora do meio-termo.

Lembro que uma vez em Budapeste, na Hungria, vimos um ônibus estacionado e um grupo de velhos na rua, rindo, brincando, dançando. Certamente uma excursão da terceira idade. Ela achou ridículo: "Velhos dançando na rua…". "Não é mais idade para isso." Não grita nem fica quieto.

Aliás, uma das primeiras coisas que eu disse para a Leda, quando minha mãe morreu, foi que a gente precisava viver uma vida cheia de desejo e paixão, para não envelhecer e depois morrer como ela, triste por não ter aproveitado mais a vida. Ela me disse isso tantas vezes no final…

Meu Deus, o quanto ela não sofreu nesses últimos anos, com toda a consciência de si que a velhice profunda a fez adquirir.

Alguns anos atrás, nós duas sentadas na mesa da cozinha, ela me perguntou: "Como chama isso que as pessoas têm quando fazem sexo? O prazer". Eu respondi que era "orgasmo", e ela: "Isso". "Eu nunca tive orgasmo e só agora sei o que é. Se eu soubesse antes…"

Não sei o que ela teria feito se soubesse antes o que era o orgasmo. Refletindo retrospectivamente, e por tudo o que ela me contou sobre sua vida, acho que ela não teria feito nada.

Mas penso que essa frase "Se eu soubesse antes" quer dizer muitas outras coisas. Quer dizer que, se ela soubesse o que era orgasmo, provavelmente não teria levado a vida que levou, teria dado mais ouvido a seus desejos — não só eróticos. Teria sabido ir atrás do que realmente queria fazer.

Quantas vezes ela repetiu a história de que uma vez, grávida da Stela, portanto ainda em 1950, menos de um ano depois de ter chegado ao Brasil, ela estava sentindo a vida conjugal tão insuportável, com a presença castradora e controladora da sogra e com a insensibilidade do meu pai aos desejos dela, que, num ímpeto, resolveu sair de casa. Disse que foi até a esquina, mas, chegando lá, se deu conta de que não tinha para onde ir. Seu irmão morava nos Estados Unidos, tinha roubado os documentos dela, e o restante da família que morava no Brasil era todo do lado do meu pai. Ela não tinha dinheiro, não falava a língua e estava grávida. Voltou para casa, esperando ao menos encontrar algum desespero no meu pai, mas nada. Ele não se deu ao trabalho de ir atrás dela porque sabia que ela voltaria.

Pode ser que saber o que era o orgasmo pudesse ter de fato alterado o curso dessa história e pode ser também que a crença inabalável que ela tinha no destino se devesse justamente à ignorância do que fosse um orgasmo.

Mas, como diz um ditado ídiche, "Se minha vó tivesse rodas, ela seria um bonde".

Imaginar a mãe em fuga, parada numa rua, sem saída possível. Vertigem das imagens de um passado que eu vejo, mas do qual não participei. Vertigem das cenas que existiram e que se desfizeram. Onde está essa esquina? Se eu for até lá, poderei reproduzir esse desamparo?

A mãe desamparada no passado. Ir até ela e soprar naquele ouvido a palavra orgasmo.

Até o final da vida ela repetia não ter amado meu pai, ao menos não da forma doentiamente apaixonada como ele sempre a amou e que, eu acredito, acabou levando-o à morte.

Ela sabia que ele era um homem bom, admirava a inteligência, a honestidade e o tino comercial dele, mas insistia que não o amava. A história deles, na verdade, é uma história de amor com tudo o que ela tem de sobrevivência, força, luta, sofrimento e superação, e sinto que preciso enxergar e sentir o tamanho disso. Um amor frustrado dos dois lados. Do lado dele, por não ser correspondido e, do lado dela, por não conseguir amá-lo.

Ela sempre dizia — só lembrei disso agora, enquanto escrevo — o quanto é melhor dar do que receber e amar do que ser amado. E também como é importante, para um casal, que o homem ame mais a mulher do que o contrário, o que meu pai também dizia.

Uma das primeiras coisas que ela fez depois que meu pai morreu, quando ela tinha 69 anos, foi tentar encontrar um rapaz que ela havia namorado na Sérvia ainda antes da guerra e que ela sabia ter ido para Israel. Não o encontrou. Quanto tempo esperou para fazer isso e, finalmente, quando se sentiu livre para tentar, não obteve sucesso.

Ela viveu da necessidade.

Quando nos reuníamos em família, em Pessach ou Rosh Hashaná, e ela ainda estava bem, dizia, orgulhosa: "Tudo isso saiu de mim!". É bom saber, e de vez em quando pensar, que no final ela realmente se sentia feliz por ter suas três filhas, sabendo o quanto a amávamos e como tínhamos vidas boas, em grande parte graças a ela.

Acho que com a morte do meu pai, ela começou a ter — ou começou a se desenvolver nela — o sentido do desejo e ela pôde ser um pouco feliz, viajando muito com a Dona Ada, formando grupos de jogos de tranca, indo ao shopping e ao cinema aos domingos, morando em Higienópolis, se arrumando e se sentindo bonita e bem.

Quando ela foi atropelada, faz uns sete, oito anos, foi um susto, mas para ela muito mais: "Eu não achava que isso fosse acontecer comigo". Eu também não, ninguém achava. Como uma pessoa que tinha sobrevivido a Auschwitz, que tinha sobrevivido a tudo, podia ser atropelada por um carro parado na faixa, que dava ré e não a viu, fazendo com que ela caísse e ficasse embaixo dele? E foi com esse acidente que começou o processo que culminaria na morte dela.

Outra crença, superstição, raciocínio mágico em que ela acreditava com toda a certeza era a ideia de que não se podia anunciar que se estava vivendo alguma coisa boa, ou seja, não se podia desfrutar de forma consciente de alguma alegria, porque isso, inevitavelmente, atrairia o mal.

Quantas vezes ela não me ligou, dizendo: "Não falei? Ontem eu contei pra você como eu estava feliz e hoje já aconteceu uma coisa ruim. Sei que você não acredita, mas é assim".

Isso estava tão entranhado nela que eu, mesmo que ache esse pensamento absurdo e sabendo que representa o medo do prazer, também o vejo reproduzido em mim. Resisto, mas é difícil.

◯

Vai se aproximando a data de um mês da morte dela e o tempo vai ganhando aquele contorno maleável que faz com que tudo pareça ter acontecido simultaneamente há muito tempo e há tempo nenhum. Há um mês eu estava numa praia na Bahia, quando Paula, a médica, disse que talvez ela não tivesse nem mais dois dias de vida. Comprei uma passagem para a manhã seguinte e voltei. Fui vê-la e, mesmo sedada, ela apertou minha mão e me deu um beijo. Fez que não com a cabeça quando perguntei se ela gostava que a Leda e o David discutissem. Na manhã anterior, ela tinha dito à Paula: "Estou nas suas mãos". Entendia que iria morrer. De sexta para sábado ela já parecia outra pessoa, tinha emagrecido muito mais, o rosto todo encovado, e já não esboçava reação. Que tempo é esse?

Como é possível que a imagem dela vá se integrando à passagem do tempo, se diluindo numa distância que não é nem curta nem longa, a ponto de, algumas vezes, eu já conseguir transformá-la em símbolo, como a visão do voo de um pica-pau, os olhos da Samba, minha cachorra, ou a sensação de uma presença sorridente e invisível ao meu lado?

É como se acontecesse à revelia da minha vontade, que, quando ativada, só quer a imagem física dela morta, não passível de transformação em mais nada. Mas tanto as cenas boas — a praia há um mês, como é possível que eu estivesse bem há um mês na praia? — como a ruim, de que não quero me distanciar, vão se misturando, desaparecendo na névoa das imagens mais próximas e também nas premências do que precisa ser feito.

Como se também a memória fosse um escritório burocrático onde se enfileiram prioridades. O ainda-não prevalece sobre o já-foi e os deveres relegam a dor e a lembrança, sentimentos inúteis, aos cantos da memória.

A vida aqui fora é uma metáfora da memória — arquivar, salvar, espaço para o acúmulo, limpeza das sobras, hierarquização — e também a memória passa a ser uma metáfora dessa vida, funcionando ambas por osmose e imitação. Em outro modo de vida, com outra experiência do tempo, certamente também a memória funciona de modo diferente.

E minha mãe, mestra do esquecimento, a quem eu sempre me contrapus como a lembrança insistente, agora me ensina também a esquecer. Me ensina também que o tempo é uma coisa trágica: ele acontece.

Não acredito, não aceito a ideia de alma como uma instância separada do ser e do físico, que permanece pairando no espaço depois do corpo morto e findo. Me parece absurdo e penso que tudo — o eu, o ser, a mente e a composição a que chamamos espírito — faz parte do corpo e do cérebro, que, uma vez mortos, desligam todas essas funções. Gosto da ideia de um corpo que vai sendo comido pelos vermes e lentamente transformado em matéria orgânica, alimento de outras formas vivas.

Mas também gosto de imaginar a alma dela, invisível cadinho de energia, ou de luz, ou de ar, observando o que faço e aprovando ou reprovando.

Será que ela me observa rezando, escrevendo o que escrevo aqui, esta mesma palavra, e sorri?

Será que está acompanhada? Do meu pai, do namorado iugoslavo, das primas, da mãe e do pai?

Será que mantém sua personalidade resignada ou agora foi lá e se pôs a dizer umas poucas verdades para quem merece ouvir?

Será que ela agora está aproveitando e aprendendo o que é orgasmo?

Será que ora por nós, os vivos?

Na confiança absoluta que têm os olhos da Samba, na forma como ela se entrega inteira ao outro, a mim, no seu pelo preto e macio, no rabo que abana só com a iminência da minha aproximação, acabei localizando minha mãe.

Instalei-a um pouco por lá — eu, que sempre preciso de lugares — e, quando toco na Samba, toco também um pouco nela, minha mãe.

A cada dia, um fato novo.

Ontem, a fotografia do apartamento dela vazio. O David e a Leda estiveram lá e levaram os sofás, eu levei o tapete e um amigo da Maytê levou a mesa e um abajur. Restaram alguns quadros na parede e a marca dos lugares onde ficavam os sofás, o sinteco mais claro.

Por que uma pessoa, quando vai embora, não deixa também ela uma marca no ar, no chão, no mundo? Caminharíamos, assim, por um mundo lotado de contornos vazios, cada um remetendo a quem ocupou aquele espaço.

A marca principal da minha mãe era o número tatuado no braço.

Antes de ela morrer, fotografei esse número, já sem a nitidez que tinha quando o braço era gordo e forte. No braço mole e enrugado, os algarismos mostravam-se apagados e dobrados. Antes de ela morrer cheguei a pensar, sabendo o quanto seria absurdo, em depois cortar a pele com aquele número e guardá-la. Claro que não. Aquele número era ela, assim como o resto do corpo. Não era dela, mas era ela, e arrancá-lo seria como arrancar um dedo ou uma mão. Tê-lo seria fetichizar a guerra e o sofrimento.

De qualquer modo, é bem difícil deixar partir uma marca como essa. Medo de que com o seu desaparecimento desapareçam também as lembranças da guerra.

Uso seus brincos com devoção e amor; seus anéis; uma blusa. Me sinto, assim, um pouco ela, com seu tipo particular de cuidados: o cabide com roupas pendurado na maçaneta do armário, os sapatos um ao lado do outro, roupas finas envolvidas em plástico, uma sacola para as meias-calças, outra para as calcinhas e outra para os sutiãs, os colares pendurados num cabide na porta do armário.

Como ela ficava bonita com esses colares que em nós ficam tão feios.

Mãe, sobre você não se pode dizer nada, como não se pode dizer nada sobre a água ou sobre o céu. A água é que poderia dizer algo sobre nós. Mãe, o que você tem a dizer sobre nós? O que você tem a dizer sobre mim, eu, sobre quem é possível dizer alguma coisa, porque eu sou sobre. Quando eu te perguntava o que você estava pensando, você dizia "Não sei". Mãe, você é não sei. Você é minha não sei, que me ensinou a não saber e a me transformar em água. Você dizia: "Como é bom estar junto!". Mãe, como é bom estar junto. O importante é ter saúde.

Já faz mais de um mês que ela morreu e eu temo a morte da morte.

Quero falar sobre o tempo, como vi hoje no livro *Austerlitz*, do Sebald, de uma forma que eu ainda não tinha lido em nenhum outro lugar. O tempo como a maior e mais absurda e aprisionante invenção humana, que nos obriga a pensar tudo em termos de passado, presente e futuro ou antes, durante e depois, o que, por sua vez, também habituou a mente ocidental a funcionar sob esses termos.

Dessa forma, isto que chamamos de passado — o que supostamente já aconteceu — tende a ir ficando soterrado na memória e no inconsciente como ruínas disto que chamamos de presente, período que, em geral, não passa de uma série de premências nervosas e cansativas a ser cumpridas e que, aliás, não podem ser devidamente cumpridas se o passado insistir em nos enviar sinais, desejando se comunicar. Essas premências do presente urgem rumo a esta outra farsa que costumamos chamar de futuro, na direção do qual acreditamos avançar à medida que vamos — voluntariamente ou não — transformando o presente em passado de maneira sucessiva, até nos tornarmos espécies de autômatos que vão enterrando o passado à medida que o presente se transforma em futuro.

A morte da minha mãe, a leitura de *Austerlitz* e a sensação do tanto de passado que ela continha e conteve — empurrando o cocô para dentro da privada com uma vassoura, como ela um dia disse ter sonhado, sem conseguir interpretar —, até que esse passado voltasse forte com a aproximação da morte, me fez desejar ter outra relação com o tempo, ter outro tempo no meu coração.

Um tempo em que o passado não seja só o que já aconteceu, mas também o que está acontecendo e que a morte dela esteja aqui comigo agora, assim como tudo o que vivemos juntas, até mesmo do que não me lembro, como o passado dela que eu não vivi, mas que tantas vezes sinto como se tivesse vivido. O momento presente, enquanto escrevo isso, está cheio de passado, está sendo escrito por ele e é o próprio passado.

Sentir a espessura dos momentos quando penso nela, quando lembro dela, quando a imagino morta embaixo da terra. Agora, neste instante, o que está acontecendo com minha mãe?

Sinto a vida aqui na superfície da terra mais pulsante e presente, com instantes de fruição ou de tristeza mais intensos. Não sei mais muito bem quem eu sou ou quem estou me tornando. Talvez mais triste, mais séria, talvez mais amorosa, mais medrosa ou desencanada.

Sinto, agora, a força da mão gravando palavras sobre o papel e amor pela exatidão que algumas palavras conseguem ter.

Só escrever tem me ajudado a — ia dizer enfrentar, mas não é esse o verbo, muito menos lidar, palavra horrível —, só escrever tem me ajudado a estar mais próxima da morte em geral e da morte dela em particular.

Não consigo aceitar que ela morreu, embora aceite. Uma mistura de tristeza e alegria, consciência e inconsciência, lembrança e esquecimento é o que têm sido meus dias.

Faz tempo já que tenho tentado trazer o passado dela para o presente, o que fiz com muitos resultados bons e bonitos e outros desastrosos, como a obstinação vaidosa de descobrir o tal namorado que ela quis encontrar quando o meu pai morreu.

No ano passado, a Leda, a Jany e eu sentadas na cozinha da casa dela, ela tentando almoçar, era um dia em que ela alucinava um pouco e ela me disse e me perguntou: "Você roubou a manteiga da cozinha e me pediu para dizer que fui eu. Por que você fez isso?". Eu perguntei a ela se estivemos juntas no campo e ela confirmou. Perguntei se eu era a prima dela e ela disse que sim. Então pedi perdão por tê-la feito ser castigada e sofrer, e perguntei se me perdoava. Ela disse, brincando: "Nãããããoǃ". "Claro que te perdoo." E, em seguida, "Quando alguém faz um bem para uma pessoa, faz um bem para a humanidade inteira. Está escrito na torá". Então eu disse que ela tinha feito um bem para a humanidade ao me perdoar.

Esses eventos da vida dela em que foi usada e explorada pelas primas e pelo irmão e em que foi inocente demais retornavam na velhice profunda sob a forma de questionamentos ou arrependimentos. Sinto que ela não se conformava nem com ter sido manipulada nem com ter sido tão ingênua e, como ela dizia, "boa". Ainda assim, sempre falava: "Como é bom ser bom!". Às vezes parecia que o mal mais próximo, das primas e do irmão, a tinha magoado mais do que o mal maior dos nazistas.

E para onde vou agora? Para qual futuro vou sem ela, que é uma parte de mim, ela, de quem sou uma parte?

Tenho também a inocência dela, a curiosidade e o espanto com o desconhecido e a natureza, e me pego sempre pensando em coisas como "o que os cegos estão sonhando?". Mas também estou sempre em estado de julgamento e opinião, para os quais ela não dava muita importância. Ela era, às vezes, burramente sincera, dizia as maiores besteiras para algumas pessoas que, de forma compreensível, se ofendiam. Eu chamava a sua atenção e ela dizia: "Que que tem? É verdade", como se o que ela classificava como verdade fosse uma urgência absoluta que precisasse ser dita. Eu aprendi a usar o silêncio para não me incriminar.

Uma das maiores lições que trago dela — e acho que posso dizer o mesmo pela Stela e pela Jany — é ser cara de pau. Ela era exageradamente cara de pau, e esse aprendizado quase que só me trouxe coisas boas na vida.

Quando eu era pequena e estávamos na praia, eu geralmente isolada, se ela encontrava uma criança da minha idade, perguntava, para o meu desespero: "Quer ser amiguinho dela?". Invariavelmente dava certo e eu passava o tempo todo brincando. Quando entrávamos numa loja chique de shopping, ela nunca deixava de pedir desconto e muitas vezes conseguia, para surpresa até do vendedor. "Por que não dão desconto à vista?" A ideia sempre era: "Não custa perguntar. O pior que você pode ouvir é um não".

Desde que ela adoeceu muito, dois anos antes de sua morte, e a possibilidade de ela morrer virou uma constante, passei a rezar diariamente. Montei um altar estranho, composto de uma armação de madeira que achei na rua e que nomeei como A Escada de Jacó; um azulejo, que também encontrei na rua, cor de terra e todo manchado, e que nomeei de Deserto de Moisés; e uma plaqueta, provavelmente vinda de Israel, com uma oração do lar, "Bruchat ha Bait", gravada de uma forma bonita e antiga. Decidi isso num momento de angústia extrema, assim que tomei contato com a possibilidade da morte dela e comecei a sentir como se, com essa morte, também uma parte de mim fosse morrer.

Pensando agora no simbolismo dos objetos que escolhi — coisa em que nunca pensei —, a Escada de Jacó funciona como uma ascensão ao céu, um caminho de consolação, e o Deserto como a travessia inevitável. Minha mãe.

Aos poucos, essa oração diária foi ocupando um espaço próprio e necessário na minha vida, sem a qual, agora, seria mais difícil manter meu equilíbrio. Virou um tipo de respiro, meditação, desabafo e espaço de reconhecimento do que vai pelo meu coração e pela minha cabeça, assim como, sem dúvida, também um lugar de celebração e de fé. E fui inventando, à medida que o tempo passava, também uma crença e um Deus particulares.

Seguindo o pouco que sei do pensamento de Lévinas, criei um Deus com quem converso diariamente, para quem quase sempre conto minhas atividades, meus pensamentos e sentimentos do dia e com quem me sinto bem conversando em hebraico, embora me faltem inúmeras palavras. Aliás, pensando também agora, acho que essa ausência de palavras é uma das coisas que fazem com que essas orações sejam tão especiais e diferentes de quase todas as minhas outras atividades, para as quais nunca me faltam palavras. Essa escassez faz parte dessa minha fé e da experiência boa e ruim do deserto.

Tento sentir uma conexão circular com esse Deus, em que ele (ela, eles, elas, eu), nós estamos envolvidos como que por um anel com volume, uma bola. Criei orações em que Deus está conosco e em nós, e não acima. Peço pouco e só quando sinto urgência e desespero, como fiz, ridiculamente, antes das eleições de 2018. Penso e sinto um

Deus acolhedor — essa é a principal palavra da ética levinasiana —, aberto e atento para a face do outro, expressão que Lévinas criou.

Mas é claro que, como esse tema me fascina e assombra desde menina, esse Deus nunca deixa de ser, ao mesmo tempo, o Deus judaico que está acima, que é masculino e todo-poderoso. Tento viver, do jeito que posso e sei, com essa contradição. Um Deus que sou eu, eu que sou esse Deus, esse Deus que é a força de pessoas juntas querendo e fazendo coisas boas e que também está fora de mim, realiza milagres e é completamente à parte do que eu penso e das filosofias que admiro.

Nessa condição, eu choro o que não pude chorar durante o dia, dou risada, descubro, falo com Deus, tenho alucinações, durmo. O ritual tem um misto de magia, de amor e de conhecimento que me faz muito bem.

E uma das coisas que eu repeti todas as noites durante esses dois anos foi desejar que minha mãe tivesse uma noite boa de sono, porque houve vários períodos em que ela não conseguia dormir e sofria com isso. Quantas vezes não chorei nesse altarzinho, pedindo que a noite dela fosse tranquila e não esbravejei no dia seguinte por ela não ter conseguido dormir outra vez?

Agora que ela se foi e continuo rezando, fica um vazio na hora de pronunciar, às vezes automaticamente, "Que ela tenha uma boa noite". Será que os mortos também não precisam de uma noite boa? Acho que não, embora desejá-lo faça bem aos vivos (a mim). E quase toda vez em que deixo de pronunciar essa frase, me lembro novamente que ela morreu.

Ontem à noite, em mais uma sessão de quase desespero — com o surto do coronavírus assombrando a todos e um presidente monstruoso —, eu instintivamente rezei não só para Deus, mas também para ela. Pedi a ela, tão doce, que intercedesse por nós, humanos, aqui nesta terra pobre e infectada.

É assim a alma da gente. Tão errada e errática. Alma gentil da minha mãe, pousa agora em meu ombro e me observa escrevendo sobre você. Espalha tuas asas acanhadas em minhas costas e apoia tua cabeça evanescente em meu colo. Te achega aqui, mãe, nessa manhã ensolarada e verde.

Você gostava dessa minha casa, num bairro que te era estranho, o Butantã, com uma arquitetura que você não entendia — escadas sem corrimão, construção simples demais —, com uma cachorra grande e um gato, bicho do qual você não gostava.

Você gostava de cachorros, mas dizia que só os dos outros. Quando o Pingo, meu outro cachorro, era vivo e você vinha aqui de carro — dirigia pessimamente — para nos visitar ou buscar as crianças, você parava diante do portão e gritava da rua: "Tem Pingo aí?".

Você era engraçada. Quando você vinha, a Maria, que também já morreu, fazia um almoço caprichado e servia uma mesa bem bonita, com salada completa, rosbife, batatas, legumes, arroz, feijão e frutas de sobremesa. Ela te adorava e você a elogiava muito.

No dia mesmo em que minha mãe morreu, fomos todos almoçar na churrascaria ao lado da casa dela, em sua homenagem. Fiz questão de comer o pãozinho com molho de cebola que ela adorava tanto.

Ela sempre comeu muito pouco. Ao contrário do meu pai, quase não ligava para comida, mas havia algumas coisas que ela adorava: esse molho de cebola, sorvete, saladas bem feitas, o doce de mil-folhas e o goulash feito por ela.

Quando viajamos para Tchecoslováquia, Áustria, Sérvia e Hungria — na comemoração dos seus oitenta anos —, ela tinha uma energia incrível, nunca se cansava e, se passássemos por uma sorveteria, perguntava: "Querem sorvete?". Era o sinal de que *ela* queria. Umas duas semanas antes de morrer, ainda comeu, com gosto, um sorvete de morango que fui dando em sua boca.

Quando íamos à sua casa, mesmo estando muito mal, ela nunca deixava de perguntar se queríamos comer alguma coisa. Adormecia no meio de alguma fala, acordava de repente e perguntava se ela já tinha oferecido café ou algo para comermos.

O mil-folhas que ela tanto amava, ou *krem pita* em sérvio, doce típico da Grécia, Hungria e dos países da antiga Iugoslávia, também tem uma história. Ela contava que, quando pequena, uma vez seus amigos fizeram uma competição para ver quem conseguia comer a maior quantidade de *krem pita*. Ela só comeu dois, mas um garoto comeu dez e acabou indo parar no hospital. Essa história me impressionava muito quando eu era pequena, e tenho, esfumaçada na memória, a imagem que criei da cena: todas as crianças em volta dos mil-folhas, cada uma comendo o seu e esse menino se empanturrando, com o doce e o creme espirrando de sua boca e do nariz, sujando a roupa e o chão.

Ela preparava um goulash maravilhoso, que deixava cozinhando por várias horas. Sem falsa modéstia, dizia que nenhum goulash era tão gostoso quanto o dela. E não era mesmo. Nem o do antigo Hungaria, o único restaurante húngaro realmente bom que São Paulo já teve, com música húngara ao vivo e onde fizemos uma festa-surpresa linda no aniversário de sessenta anos do meu pai. Acabou fechando, uma pena.

Quando nós, as quatro mulheres — ela e as três filhas —, estivemos em Budapeste, descobrimos o restaurante FATAL, maravilhoso, e pedimos goulash. Dessa vez, ela foi obrigada a reconhecer que o goulash de lá era melhor que o dela. Sem nenhuma vergonha, como era a sua marca registrada, pediu a receita ao chef — em húngaro — e ele, sem problema nenhum, lhe deu. Aliás, um dos milagres da filosofia do cara de pau é que quanto maior o absurdo do pedido, maior a solicitude com que o interpelado o atende. É um princípio de vida poético, na verdade, em que a surpresa e a desorganização promovidas pelo pedido inesperado provocam a simpatia de quem o recebe. "Ah, finalmente alguém com coragem de desafiar a ordem das coisas..." E assim a gente fica conhecendo pessoas muito legais. Quem se fecha aos pedidos cara de pau não está pronto para a poesia (eu sou sempre judicativa e categórica).

O chef do FATAL disse que ele colocava vinho na receita, ao que minha mãe, muito feliz com a novidade, agradeceu e também passou a pôr vinho no seu, melhorando ainda mais o sabor do goulash.

Ela não cozinhava muitos pratos, mas havia alguns poucos, bem específicos, que ela fazia muito bem e que estão na minha memória remota e recente como caldos restauradores do corpo e da alma.

Quando eu era pequena, ela sempre organizava um jantar de shabat bonito, para o qual vinham o meu tio Artur e a minha avó Czarna, mãe do meu pai. Desses jantares lembro bem de alguns pratos que se repetiam. Um espinafre ao forno com um ovo estrelado por cima, servido num pote de cristal. A sobremesa de café com sorvete, servida num copo de vidro fino, como os de champanhe, com um canudo. Como eu adorava isso! Achava chique e misterioso. E tinha uma sopa muito diferente, fria, que ela chamava de sopa de neve. Era de pêssego, doce, com uns montezinhos de ovos nevados boiando. Não sei se mais alguém se lembra deles, mas todos esses pratos transformavam a casa num pedaço do Leste europeu.

Minha mãe também fazia um bife de filé mignon delicioso. Não batia a carne, fritava na manteiga e temperava só com sal, na chapa, na hora da fritura.

Ela contava que, quando eles chegaram ao Brasil e dividiam a casa com a minha avó — durante mais de dez anos —, era minha avó quem cozinhava, e a comida era muito ruim. Realmente, minha avó cozinhava mal, apesar de achar o contrário. Meu pai não se importava, embora adorasse comer bem, porque não conhecia comida com outro gosto. E se minha mãe ousasse desafiar a autoridade da sogra, elas brigavam feio e meu pai invariavelmente ficava do lado da mãe, para o desespero da minha.

Mas quando minha avó saiu da casa deles e foi morar sozinha, processo que deve ter sido bem difícil — por sorte não demorou para arranjar um namorado e se casar —, uma das primeiras coisas que minha mãe fez foi ir ao açougue comprar uma peça de filé mignon, carne proibida pela dieta kosher que minha avó seguia, mas minha mãe não, com exceção da carne de porco e derivados. (Mas sempre havia presunto em casa, que adorávamos.) (E linguiça.)

E quando meu pai provou o bife de filé mignon da minha mãe, ele não acreditou: "Ah, isso que é comida! Isso que é bife! Isso que é sabor!". E ela passou a comandar a cozinha.

Nas festas de Rosh Hashaná e Iom Kipur, ela fazia vários rocamboles doces: de chocolate, geleia e acho que de papoula também. Sim, de papoula, agora me lembro. É uma das comidas de que mais gosto na vida e sobre a qual escrevi em *Írisz: as orquídeas*. Mas naquela época (meu Deus, o que é "naquela época"? Onde estou eu e onde está ela nesse lugar que se chama "naquela época"?) eu preferia de longe o rocambole de chocolate e gostava quando o chocolate ficava um pouco líquido e escorria pelas bordas, manchando a boca quando a gente mordia.

Durante o preparo, ela me mostrava que aquele era especialmente para mim, com muito mais chocolate em pó e manteiga que os outros. Quanta saudade desse bolo a que nenhum outro se compara. Mais velha, bem mais velha, ela tentou repetir a receita e me mostrou o resultado, orgulhosa. Fui obrigada a mentir, porque nem de longe ele se aproximava do original.

Tinha ainda o macarrão doce ao forno, com geleia e uva-passa, e o macarrão com ricota e creme de leite, também ao forno. E a ilha, um prato que ela fazia especialmente para mim e cujo nome acho que foi ela quem inventou: frango de sopa no centro, um molho de tomate meio doce em volta e, na borda, um círculo de arroz.

A compota permanente, sem a qual meu pai não vivia (ele também não vivia sem a limonada e o chá), feita com pêssegos, ameixas, peras e limões inteiros. Ela adorava chupar limão, aliás, e também beber tônica, que tem um gosto parecido. Minha mãe ficava chique tomando tônica, eu achava.

E não posso esquecer — ela adorava essa expressão, "não posso esquecer" — do *tchoulnt* maravilhoso que ela fazia e que, segundo a lenda, ela deixava cozinhando a noite inteira, acordando de madrugada para ir mexer a mistura: um cozido de carne, feijão-branco, batata e ovo. Uma refeição completa, uma espécie de feijoada branca para servir com arroz. Como eu adorava esse *tchoulnt*, que eu sempre pedia para ela fazer, mas ela, com razão, fazia preferencialmente para o inverno. É um dos melhores sabores que já experimentei e vou tentar reproduzi-lo — embora não tenha a receita —, porque, com certeza, vou me lembrar ainda mais dela.

Escrevendo agora sobre minha mãe e suas comidas e, a cada prato que descrevo, lembrando melhor do rosto e dos gestos dela, de suas expressões, palavras, de sua movimentação pela cozinha e pela sala, servindo os pratos na mesa para nós e para o tio Artur, lembrando dela agachada para pegar o macarrão no forno, da distância que ela devia percorrer de madrugada, entre seu quarto e a cozinha, para ir mexer o *tchoulnt* (será mesmo? ela não era do tipo sacrificada), me ocorre que a história das comidas de uma pessoa *é* a própria pessoa. Talvez poucas coisas a identifiquem melhor. Talvez nem mesmo as ideias ou as declarações de uma pessoa a componham tanto quanto as comidas que ela prepara, especialmente depois que morre, quando os pratos fazem lembrar de seu corpo, de seu cheiro, de seu olhar.

Depois da morte dela, agora há quase um ano, penso também na minha morte. Neste ano de 2020, em que todos passamos a temer a morte como nunca e em que vivemos a morte de muitas pessoas próximas e de milhares de pessoas distantes, passo a vislumbrar minha imagem velha e talvez doente sendo visitada por meus filhos e, quem sabe, por netos. Percebo o quanto tenho imitado e incorporado gestos e expressões de minha mãe, como tenho me tornado cada vez menos complicada e mais silenciosa do que eu era. Ela agora mora no meu corpo e na minha memória, e muitas vezes, ao me sentar para orar, sinto uma película fina de ar me envolvendo, seu abraço de penugem. Minha mãe se tornou um roçar.

Há poucos dias foi inaugurada a pedra que cobre seu túmulo, onde nós três decidimos gravar uma frase dela: MINHA RELIgião é o amor. O que resta de alguém, pelo olhar de quem fica, é mesmo isso, o amor. E o amor é o quê? Um bichinho que rói, rói, rói. Uma harmonia entre a dilatação da pupila e os lábios se projetando para os lados. Um esquecimento súbito seguido de um "ah, lembrei, sim". Um abrir de geladeira para pegar as ameixas geladas que seu companheiro guardou para você. A lembrança da mãe dizendo ao telefone: "Nô, quando você vem aqui?".

Quando chegar a hora da minha morte, quero que seja silenciosa como a dela. Mas principalmente que reste de mim o que dela resta em mim agora — esta película de ar.

1ª EDIÇÃO [2021] 3 reimpressões

ESTA OBRA FOI COMPOSTA POR OSMANE GARCIA FILHO
EM ELECTRA E IMPRESSA PELA GEOGRÁFICA EM OFSETE
SOBRE PAPEL PÓLEN BOLD DA SUZANO S.A. PARA
A EDITORA SCHWARCZ EM AGOSTO DE 2023

A marca FSC® é a garantia de que a madeira utilizada
na fabricação do papel deste livro provém de florestas
que foram gerenciadas de maneira ambientalmente
correta, socialmente justa e economicamente viável,
além de outras fontes de origem controlada.